Marin Co. Children's
Spanish
E Spanish Manso
Manso, Anna
El castillo del mal humor
31111032534271

W9-CKI-324

**El Castillo del Mal Humor**

Dirección colección: Cuentos sin fronteras
Traducción: Fina Marfà
Diseño: Noè Fanlo
Coordinación producción: Elisa Sarsanedas

1ª edición: octubre 2006
© Autor: Anna Manso
© Ilustraciones: Àfrica Fanlo

© Cuentos sin Fronteras
Muntaner, 514, 2º 2ª. 08022 Barcelona
e-mail: cuentos_sin_fronteras@yahoo.es

© Intermón Oxfam
Roger de Llúria, 15. 08010 Barcelona
Tel (93) 482 07 00. Fax (93) 482 07 07
e-mail: info@IntermonOxfam.org

ISBN: 84-8452-459-0
Depósito legal: B-43605-06

Impresión: Novoprint
Impreso en España

Queda rigurosamente prohibida, sin la
autorización escrita de los titulares del "copyright",
la reproducción total o parcial de esta obra por
cualquier medio o procedimiento.

Impreso en papel exento de cloro.

Distribuido por: **Editorial Juventud**
TEL. (55) 5203-9749 - México DF. www.editorialjuventud.com.mx
juventud@editorialjuventud.com.mx

# El Castillo del Mal Humor

Textos: Anna Manso
Ilustraciones: Àfrica Fanlo

Distribuido por:
Editorial Juventud, S.A. de C.V.
Tel. (55) 5203-9749 México, D.F.
www.editorialjuventud.com.mx

cuentos sin fronteras
pequeños relatos solidarios

Intermón Oxfam

Carolina era la chica más risueña y alegre de todo el pueblo, de todo el país y de todo el planeta. Era una sonrisa con patas. No había nada que la hiciera enfadarse y todo le parecía bien. Pero la verdad es que a Carolina le hubiera gustado enfadarse alguna que otra vez, como veía que hacían mayores, medianos y pequeños. Sin embargo, no sabía cómo hacerlo para enfurruñarse, aunque fuera sólo un poquito.

¡chooof!

**U**n día en la tele anunciaron un nuevo concurso: "El Castillo del Mal Humor". Los concursantes tenían que pasar la noche en el castillo sin enfadarse ni pizca. Aquel que lo consiguiera ganaría como premio un fantástico viaje a una isla.

Carolina lo pensó detenidamente y decidió apuntarse al concurso. ¡Era su gran oportunidad! Si ganaba, se iría de viaje y, en caso de perder, pues significaría que se había enfadado por primera vez en su vida.

El día del concurso el presentador avisó a Carolina: "Tienes que saber que toda persona que entra en el castillo sale de un humor de mil demonios. Incluso hay personas que después de haber pasado la noche en el castillo no vuelven a estar contentas nunca más". Carolina era una chica risueña, sí, pero también era muy decidida y entró en el castillo con paso firme.

En el interior del castillo sólo se oía el ruidito bajo y apagado de las cámaras de la televisión que grababan el concurso. De repente, Carolina vio aparecer volando unas personas casi transparentes. "Hola", le dijeron, "somos los espíritus pelmazos del Castillo del Mal Humor. Si quieres ganar el concurso, lo primero que debes hacer es limpiar la colección de MIL candelabros".

**...y** Carolina, en lugar de desanimarse, enfadarse y nublar su buen humor, conectó una manguera, abrió un bote de jabón y limpió todos los candelabros en un abrir y cerrar de ojos. ¡Y por si fuera poco, con la espuma que sobró organizó una fiesta de espuma!

La segunda orden que le dieron los espíritus fue ordenar la cocina del castillo. Una cocina que llevaba mil cuatrocientos setenta y nueve años sin ordenarse.

Y Carolina, en lugar de protestar, quejarse y gritar, ordenó la cocina intentando pasárselo lo mejor posible. Es decir, ordenando al estilo Carolina.

El tercer encargo consistía en remendar y zurcir las cortinas del gran salón.

A Carolina le pareció que aquellas cortinas se podían usar para algo más divertido.

Los espíritus no sabían cómo conseguir que Carolina se enfadara con ellos. Después de cavilar un buen rato, la encerraron en la habitación de los gritos.

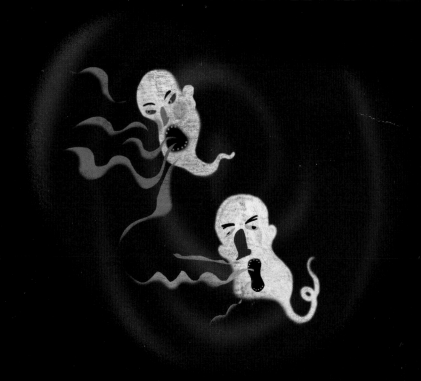

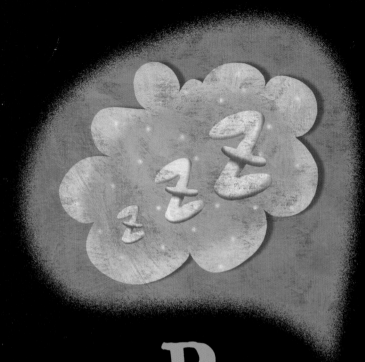

**P**ero, a Carolina, los gritos y chillidos le daban igual. Siempre llevaba en su bolsillo una cajita con tapones para los oídos por si le entraba sueño. Se puso los tapones y se durmió como un lirón. ¡Durmió y roncó de lo lindo! Y sus ronquidos eran tan fuertes que, al oírlos, los espíritus huyeron despavoridos.

Salió el sol y Carolina se despertó de muy buen humor: ¡Había ganado el concurso!

No había conseguido enfadarse, pero se dirigía a una isla paradisíaca donde podría descansar y tomar el sol como un lagarto sin que nadie la molestara.

# Nadie... ¡o casi nadie!